CW00552007

Séverine, puisque tu pars

Sylvia Hemery

Séverine, puisque tu pars

LE LYS BLEU
ÉDITIONS

La vie, la vie, la vie

Elle est belle la vie quand on plonge dans les roseaux de sa chance, elle est laide la vie quand on doit dire adieu à ceux que l'on aime. On la hume comme un parfum de chez Chanel, elle est élégante, elle est rose la vie quand on la plante dans un coin de verdure, elle est noire la vie quand on lui arrache ses racines. Elle peut danser sur la musique d'un tango ou pleurer comme Pierrot, elle peut tanguer sur le radeau de ses mémoires, elle est éphémère quand une larme coule au coin de l'œil. Elle est riche quand l'amour se grave dans le cœur, elle est disgracieuse quand elle souffre, elle est scintillante lorsqu'elle accroche une étoile dans le ciel. La vie a de la prestance lorsqu'elle se maintient droite, elle cache ses incertitudes lorsqu'elle porte un masque. Elle est vilaine lorsqu'elle ment. La vie, la vie, la vie. Elle est heureuse quand elle vit. La vie est un cadeau de se sentir aimer. La vie d'écrire est une passion. La vie de rêver est somptueuse. La vie éloigne toujours une âme.

Le bonheur

Le bonheur est un cœur qui bat lorsqu'on lui sourit. Il n'y a point de secret dans les yeux d'une destinée. Le bouton de la fleur « Belle de jour » s'ouvre à l'envergure des plumes d'un paon. Il peut galoper à contresens d'une chance que nous pouvons perdre. Le bonheur peut pleurer comme des nuages gris que les anges bercent sous les reflets de la lune. Notre ultime réflexion est de savoir lire la patience. Le délecter sans prier des condoléances. Il est le socle d'un mystère de l'amour de l'air que l'on respire. Il est la montagne russe de notre passage vers l'inconnu, il est la pendule d'une tranche de vie, il peut être victime d'un arrêt cardiaque. Le bonheur peut se conjuguer à tous les temps, seul le présent de l'indicatif est le parolier de notre serment. Se dire demain est un jour nouveau propice à un soleil rieur. Sans nous en rendre compte, il est cousu dans l'encoignure de notre poche, nous nous baladons avec une poignée d'optimisme. Nous pouvons atteindre ce coin de paradis. Le bonheur n'est pas qu'un souvenir, c'est aussi le marque-page de notre journal intime. Il est aussi magnifique qu'un écrin de perles. Il est l'œuvre d'une sculpture de Rondin. Il peut être la candeur de tout un émoi qui se balance de branche en branche, d'âge en âge. Sommes-nous tous destinés à la perfection d'un bonheur ? Parfois, nous ne pouvons pas le décrire car nous ne prenons pas le temps de le lire. Décrypter le braille ou le langage des signes est aussi périlleux que notre paresse. Il se traduit dans toutes les langues, dialectes ou calligraphies.

Barricade-toi

Tu n'as pas à déballer sur la place publique ta justesse pour exprimer tes choix. Tu ne peux pas codifier le bon sens de ta conscience, elle t'appartient, verrouille la porte face à l'intrus qui essaie de t'imposer sa dictature. Qu'il est épuisant de devoir écrire une thèse sur tes décisions de vie ! N'attends pas qu'autrui note ta « bonne ou mauvaise » conduite ! Si ton cœur parle au passé, il n'y aura plus de futur. Ce n'est point un échec mais le point final d'une histoire. N'abandonne pas ta niaque dans le caniveau de tes tourments, relève-toi face à l'individu qui te fait barrage. Tu n'es pas le psychologue de ses critiques mais tu es l'unique maître de ton « cerveau ». Déchire le journal des jugements à « huis clos », ne gomme pas tes certitudes mais explore-les avec ta réflexion avertie. Barricade-toi pour protéger ta « science ».

Quand on cueille l'amour

Quand on cueille l'amour dans les bras du cerisier sur la pointe des pieds, on déploie nos ailes sans étirer le millimètre d'une grimace, on se laisse porter par la brise du baiser de Cupidon. Que ce soit sous une pluie d'étoiles ou sous l'écho de la harpe d'or de l'Angélus ; la passion triomphe sous un soleil roi. Amasser des pétales de roses rouges sur le parchemin de votre chevalerie, les déposer dans le panier en osier d'une mystérieuse destinée. Quels sont les plus beaux mots de l'amour ? Non point « Je t'aime » mais « point ». « Je t'aime ». Essuyer les larmes du passé n'est pas un regret mais tourner la page d'un temps envolé. Il n'y a pas de place pour un « inonde » de cœurs. Lorsque la nuit écoute la cornemuse de vos chuchotements, le silence est le goût de votre bouche.

Vieillir

Vieillir avec des certitudes, mourir avec des incertitudes est le reflet d'une vie vécue. Sans l'ombre d'un doute. Quand la tourterelle à collier vole, elle porte sous ses ailes le flambeau d'une délivrance. Son voyage est un long périple qui s'essouffle. Elle atterrit sur la terre de ses conclusions. La lune est l'orage de ses tourments, le soleil est la lumière de ses espoirs. Elle balaie sur son passage la gifle du vent, elle se cache sous l'éclipse de son vœu ; ne pas mourir sur la terre de l'homme. L'oiseau de la liberté est parfois le fruit d'une nature sans retrouvaille. Mourir avec des certitudes, vivre avec des incertitudes est le miroir d'une âme sans flair. Lorsque ses pattes planent vers la migration de l'hiver, elle perd les plumes de son absolu, nul ne peut lui arracher son cœur si pur. Parfois, aimer peut devenir une prison, le bec fermé, on se laisse mourir dans une cage, on ne peut pas lever la clef de la liberté.

Le baiser

Quand il est unique, il est la pomme d'amour de notre soif d'aimer, il est ce bel hommage à l'amour, s'il pleut dans un cœur, il est celui qui abrite votre chagrin, il évapore ce doux parfum de votre peau. Le baiser est l'Altesse Royale de votre jardin de fleurs, quand l'ombre du soleil tapisse votre humeur, il est celui qui étirera votre sourire en demi-lune. Il aiguillonne la boussole de votre ardeur, il est le sommelier de votre romantisme, il est la plume de Victor Hugo.

Un dernier jour

Tu boiras ton dernier café, tu fumeras ta dernière cigarette, tu danseras ton dernier rock and roll, tu joueras ta dernière note de musique, tu embrasseras une dernière fois, tu amèneras une dernière fois tes enfants à l'école. Tu verras une dernière fois les vagues de l'océan, tu trinqueras un verre une dernière fois avec tes proches, tu humeras une dernière fois le parfum de ta peau. Tu dégusteras une dernière fois un grand cru, tu mangeras une dernière fois du foie gras, tu tourneras une dernière fois les photos de tes albums, tu te disputeras une dernière fois avec ton voisin de palier, tu jouiras une dernière fois sur les draps de ton lit, tu planteras ton dernier rosier, tu dépasseras une dernière fois tes limites, tu liras une dernière fois un roman. L'été, tu grilleras ton dernier festin, tu cultiveras une dernière fois ton potager, tu signeras une dernière fois un chèque, tu feras une dernière fois tes courses, tu riras une dernière fois devant une comédie, tu nageras une dernière fois en mer. Tu pleureras une dernière fois la perte d'un être cher. Tu penseras une dernière fois, tu verras une dernière fois le bal des feuilles d'automne balayer le passé. Il y aura tant d'autres dernières fois. À l'aube du jour, tu seras pour la première fois dans la page nécrologique de ton journal sans en connaître l'instant.

Un mot. Un « je t'aime »

Parfois, un mot suffit à tisser un lien d'amour éternellement. Il est le reflet d'une âme sensible quand le cœur bascule dans un émoi. Le « Je t'aime » peut faire basculer une vie, il peut embellir un siècle de souvenirs. La lettre d'une déclaration qui ne brûlera point, elle se niche dans la cave voûtée d'un château. Le mot peut bouleverser un être humain jusqu'à en perdre la raison, il peut-être le détonateur d'une guerre des sentiments. Il peut pousser au suicide, il peut renoncer d'un bonheur perdu. Il suffit d'un mot. Chuchoter un « je t'aime » peut ressusciter une personne de son coma amoureux. Il peut redonner espoir à autrui sur terre. Le mot attire l'attention, il peut tuer d'une balle en une fraction de seconde, il peut élever l'homme jusque dans les montagnes de l'Himalaya. Il peut être doux, romantique, timide, exubérant, violent. Il n'a pas toujours sa place lors d'une chasse aux aguets. Un mot. Un « je t'aime » peut rendre ivre toute une existence. Il est le roi de nos déclarations, il est l'empereur de nos lectures, il peut s'échapper d'une bouche sans la moindre faute.

Un fils

Un fils écoutera toujours les battements de cœur de sa mère, elle est le symbole de la pureté. Il veillera à une vieillesse qui la rendra si fragile. À chaque regard, il lui lira une déclaration d'amour. Il parcourra le monde en un vol d'oiseaux pour trouver le remède de ses maux. Il pourra la guérir d'un baise-main, sa reine sera l'horizon de ses beaux jours, il lui narrera un conte de Grimm pour la faire rêver. Sa muse parfumera la note de cœur de ses souvenirs, il portera le collier de sa grâce, il lui offrira les bijoux de la Castafiore. Il sera le mineur de fond de sa mine d'or. Elle est celle qui le fera grandir dans le respect. Il lui cueillera la fleur « Belle de jour » pour dresser sa table de chevet. Il sera son cavalier lors des bals mondains, elle sera la racine de ses mots. Un fils nagera au fond noir de l'océan à la recherche de plantes médicinales, il s'oxygènera de son amour. Il sera l'ombrelle du soleil, elle sera le chapeau du ciel. Un fils pleurera sa maman à tout jamais quand son sommeil deviendra un adieu.

Pour Nolann, Axel et Gabin

Parfois il y a

Des gens qui fouillent dans mon regard mais qui ne
me voient pas
Des gens qui hurlent dans mes oreilles mais qui ne
m'écoutent pas
Des gens avec qui, je trinque le verre à l'amitié mais
qui ne le boivent pas
Des gens qui me tiennent la main pour la lâcher en
bord de route
Des gens à qui je souris mais qui pleurent le
pourquoi
Des gens à qui je sèche les larmes qui malgré tout
boudent la vie
Des gens avec qui je danse mais qui trébuchent par
des pas mous
Des gens qui tabassent mon cœur que je soigne dans
l'indifférence
Des gens qui en claquant la porte s'envolent comme
un courant d'air

Il y a des gens qui dans le regard m'offrent un
sourire
Des gens qui écoutent mes maux sans jugement
Des gens avec qui je trinque du champagne pour
célébrer la vie
Des gens qui me portent sur leurs épaules sans
craindre de tomber
Des gens qui sont ravis de me saluer avec tant de
sincérité
Des gens qui consolent mes tempêtes sans
lendemain
Des gens avec qui je danse me protégeant d'une
chute
Des gens qui caressent un amour qui bat à la mesure
du temps
Il ne faut pas laisser entrer le froid…

Le temps

Le temps d'hier, le temps de l'hiver n'est pas une vie passée mais une vie bien vécue. Ne pas se dévêtir avec des regrets mais s'habiller avec de merveilleux souvenirs. Se dire « la pleine lune » écrira une nouvelle mille et une nuits. Chaque saison a sa mémoire, celle de la neige qui roule sur la pente froide de l'amour, celle de l'automne qui recouvre les feuilles mortes de l'amour, celle de l'été, qui brûle les yeux de l'amour, celle des bourgeons du printemps qui éclosent les graines de l'amour. Le temps de l'âme est éternel, le temps d'aimer peut être éphémère, le temps de sourire est un cadeau, le temps de mourir peut-être une délivrance. Qui compte le temps ? Celui qui prend le temps de la réflexion. Quand le temps annonce un orage, s'abriter est péremptoire. Quand la foudre tombe sur une demeure, se protéger est instinctif. Le temps d'aujourd'hui se couvre de baisers, goûter une cerise est délicieux. Ne jamais s'essouffler devant les caprices d'une nature indécise ! Le temps d'un jour, le temps de tous les jours est comme une chanson, on l'écoute en boucle, on fredonne le refrain sans jamais fermer les yeux. Laisser le temps au temps sans attendre le lendemain, sans loi, ni foi ni fin. Quant à la lune qui éclaire la nuit d'hier, elle ne peut que laisser briller les étoiles. Elle avance pas à pas sans un bruit tel les pattes de velours d'un amour « sourd ». Elle écrit le mystère d'un amour astral ou arithmétique. On ne gomme pas le temps, on ne le niche pas dans sa poche, on le laisse filer entre les doigts sans se poser de question. Là où est la minute du temps du sablier ? Le temps d'hier, le temps de l'hiver, le temps qui court, le temps qui reste, le temps qui galope.

Le baiser

Quand il vous enveloppe dans ses bras tel un cygne, il est le maître mot d'un amour irrésistible. Il esquisse un sourire tendre, il est aussi élégant qu'un marquis. Il est celui qui vous renverse au charme d'un tango. Ne le laissez pas s'échapper, il est le garde-fou de votre émoi. Sans lui, notre corps serait gelé tel un iceberg, nous serions oppressés par le manque de son oxygène, nous serions inertes tel un épouvantail. Nous perdrions pied dans le mysticisme de l'amour. Le baiser reflète le cœur, il est le marque-page d'une belle histoire, il est la friandise d'une corbeille de fruits, il est le jongleur entre l'aérien et le terrestre.

Chaque matin

Chaque matin, j'étire mes bras en éventail pour accueillir l'amour du jour, je le plante dans les rosiers de mon jardin, il varappe sur les murs de mon habitacle. Je pose le premier pas nu sur le parquet de ma bonne humeur, je respire le parfum de mon oxygène. Je me sens aimée par cette merveilleuse vie qui est la mienne, elle me siffle des alexandrins tel le Rossignol, elle m'écrit sa déclaration d'amour en prose, elle est unique dans sa splendeur de cristal. Se sentir aimée est une richesse, il faut la couvrir de baisers pour ne pas qu'elle prenne froid. C'est un cadeau d'être aimé, c'est un bonheur d'aimer. Le verbe aimer est le cœur de toute une existence.

Écrire

Écrire c'est le voyage de mon bateau, larguer les amarres des « consonnes » et des « voyelles » muettes, naviguer sur les vagues des mots, couler les maux, tanguer entre la terre et la mer, jeter l'ancre pour nager vers les côtes Bretonnes. Quand ma mémoire s'éteint la nuit, c'est mon cœur qui se réveille, je sublime mes arabesques avec l'encre de ma plume. J'étire mes lettres, mes points-virgules. Le silence est la musique de mes synonymes, le « présent » est la narration de mes proses, le noir est le bavardage de ma conscience, la lumière est la célébration de mes lectures. Quand mes doigts pianotent devant la fenêtre du ciel, j'étire mes syllabes, je caracole sur les vallons de ma plénitude. Si le tonnerre gronde, je le chasse avec mon « passé simple ». Quand une étoile scintille à travers l'horizon, je la salue avec mon sourire. Les premières heures de mon émoi naissent grâce au paquebot de mes rimes, l'encre bleue glisse entre les lignes de mon cahier, la canicule de mes souvenirs n'étouffe point mon euphonie, je respire l'oxygène de mes émotions. Le clair de lune tire sa révérence, la solitude me réjouit d'un pas cadencé. Je suis celle qui rêve devant les merveilles du monde qui tournent autour du soleil.

Des mots d'amour

Je veux entendre des mots d'amour, des mots d'un jour, des mots bleus, des mots « sourds », des mots du soleil, des mots de la cour, des mots qui courent, des mots de satin, des mots de marquise, des mots d'hirondelle, des mots courtois, des mots sensibles, des mots nuptiaux, des mots festifs, des mots d'amitié, des mots taquins, des mots dans le noir, des mots du tiroir, des mots d'un journal intime, des mots poignants, des mots de velours, des mots magiques, des mots angéliques, des mots mystiques, des mots en éventail, des mots historiques, des mots qui volent, des mots qui respirent, des mots qui galopent, des mots gourmands, des mots en do, ré, mi, fa, sol, des mots du vent, des mots de caractère, des mots parfumés, des mots d'arc-en-ciel, des mots qui batifolent, des mots marins, des mots Nordistes, des mots artistiques, des mots d'opéra, des mots sans maux, des mots d'ailleurs, des mots tout hauts, des mots tout bas, des mots beaux, des mots baldaquins, des mots romanesques, des mots comiques, des mots nuageux, des mots cadeaux, des mots tout court.

Quand on dit que l'on a qu'une vie

Quand un drame vous casse la gueule à la renverse ;
vous plaidez coupable de ne pas avoir assez profité
des vôtres
Quand une catastrophe naturelle ensevelit votre
demeure, vous sauvez vos albums photos
Quand une santé se dégrade, le compte à rebours a
commencé ; vous pleurez le « si j'avais su »
Quand la thèse d'un complot vous poignarde dans le
dos ; vous hurlez la vengeance qui n'en vaut pas la
peine
Quand votre bonheur dégringole de vos escaliers ;
remontez-le à bras le bas de combat !
Quand des larmes pleurent votre chagrin, essuyez-les
avec le revers de votre manche ; poudrez-vous le nez
On n'a pas toujours tout ce que l'on désire dans
notre vie mais c'est la nôtre.

Les autres

Dans une vie, on répond à des sourires, on sèche des larmes, on s'amuse des rires, on danse des années folles, on répond à des interrogations, on garde le silence qui vaut mille mots. On ne cesse de grandir en apprenant de nos erreurs. On est heureux de respirer le grand air et de pouvoir chanter le lyrisme de l'amour. On porte nos bagages pour voyager à travers le temps sans regret. On patiente sur le quai de la gare, on rêve à un nouveau départ dans le train de notre solitude. Est-ce mal de vouloir rejoindre la destination d'un vœu ? Ah ! Notre nostalgie peut dramatiser sur le théâtre d'un boulevard du Petit bonheur. Il n'y a pas d'échecs ni de remords lorsque notre cœur décide de se taire. Et puis il y a les autres, ceux que l'on aime. Quand vient le temps d'écrire ses mémoires sur le coin de la table d'un bistrot, on chiale les « Si j'avais su » L'horloge tourne le tic-tac de notre métabolisme, vieillir n'est pas une peur mais une incertitude. On allume la lampe de chevet de nos nuits, la peur de ne pas se réveiller. Et les autres ? Comment ont-ils accepté votre nouvelle réflexion ? Peu importe, vous êtes le capitaine de votre navire. Il y a des copies blanches lors d'un devoir de philosophie, il n'y a pas d'inspiration, le néant d'une question sans lendemain. Le psychiatre n'a pas réponse à toutes vos questions, il peut devenir aveugle à la lecture de vos artères. Il peut analyser vos maux mais il peut observer un trompe-l'œil qui le noie dans ses doutes. Il y a des jours où l'on cogite la malchance d'une mauvaise santé, on peut en ressortir toujours vainqueur. L'immortalité se niche dans notre cerveau et la mortalité chez les autres. C'est comme cela ainsi va la logique, notre refus de s'éloigner du bord de la rive. On veut se protéger de quoi ? De qui ? Pourquoi ? Des autres.

L'élégance d'une femme

L'élégance d'une femme se lit sur son sourire. Séduisante, sulfureuse, insolente, tigresse ou romanesque. Les « qualités » de ses « défauts » sont si capricieuses. Elle sait manier les mots d'amour pour parfumer le poitrail d'un homme. Vous n'aurez pas la clef des secrets de son cœur, elle est pudique, elle porte l'élégance. Qu'elle se vêtit d'une robe, d'un maillot de baignade ou d'un pantalon : on la respecte. Elle porte l'élégance comme une couronne de fleurs. La nuit, elle peut être féline, le jour c'est une femme de poigne. Elle est la racine des branches d'un arbre, elle est cette rose éternelle qui ne fane pas, elle est tout simplement sublime. Il n'y a pas de mots justes pour la décrire. Elle est si belle lorsqu'elle rit. Quelle délicieuse âme sans l'ombre d'un mensonge, elle est celle qui lutte son existence. La femme peut être une main de fer dans un gant de velours. Elle est si subtile. Elle est si unique face à son miroir, elle est si authentique. Elle se bat chaque minute pour exister

41

dans une égalité imparfaite ! Elle porte son combat au premier front de guerre. Mesdames vous êtes l'équation de notre porte-bonheur sous l'écharpe de Vénus.

Aimer de vivre

Aimer de vivre, vivre sans s'oublier est un grand pas en ces temps modernes. Le temps s'écoule tel un sablier. On compte nos heures de liberté dans le calendrier de notre routine. Un grain de folie, un soupçon de magie, une dose de fantaisie peut nous redonner des ailes pour planer dans le ciel de notre appétence. Ne plus s'endormir sans prier un cadeau du ciel. Ne plus pleurer une solitude lorsque l'horloge sonne un matin de Bon – Heur (e). Rire sans se soucier du bruit de fond, boire pour trinquer la « Chance ». On vit avec des milliers de rêves. Qu'expriment-ils ? Une chasse au trésor pardi ! L'or de la soif de vivre avec un excès de vitesse. Ne pas saluer un au revoir en un adieu. Tricher avec sa conscience n'est pas une certitude. Là-haut, il existe un mystère. Que c'est merveilleux de pouvoir voyager sur le bateau de notre festin qu'est la vie ! Ne pas la souiller mais la rendre plus belle. Vivre pour vivre sans s'oublier, un livre de Contes peut se lire à l'envers des mots. C'est une farandole de mignardises que de festoyer un amour fou ! Et pourquoi ruminer son pourquoi ? Y répondre par le baiser d'un silence. La nuit porte conseil, le jour écrase les étoiles. Ne plus s'enfermer à double tour dans le placard de ses lassitudes, ouvrir les volets d'un nouveau siècle. La vie se déroule à la vitesse du mur du son. Point ne sert de la rattraper car elle ne se joint pas. La cajoler sous toutes ses coutures n'est pas la consoler. Le parfait est fade, l'aventure est épicée, le passionné est un grand artiste. Aimer de vivre, vivre sans s'oublier.

Un jour sans toi, un jour avec moi

Quand j'ouvre la porte de mon cœur, il bat pour toi. Un jour sans toi est une mort subite, un jour avec moi est une résurrection. Si le vent balaie les étoiles de mon vœu, je ne peux que mourir sur la terre de l'inconnu, sans ne pouvoir respirer l'oxygène de ton souffle, j'emporte ma valise de fortune comme l'unique compagnon de ma solitude. Tu es le courant d'air de mes sanglots, tu es le fantôme de mes rêves, sans toi, le soleil pleure, la pluie se cristallise. Je deviens aveugle sans ton sourire, je deviens sourde sans ton rire, je deviens momie sans tes pas. Si le rossignol siffle ta venue, je serai la paille de ton nid d'or. Ne lis pas la tempête de mes mots mais l'arabesque de mon encre. Ne sois pas triste face à la vie, elle te donne puis elle reprend, elle est la trace de tes cendres, elle est la chance de ta naissance. Quand le zèbre trace son galop de ses sabots, il n'est que la victime d'une chasse de l'homme. Ne tends pas ton oreille à celui qui ne t'écoute pas, ne parle pas à celui qui ne t'entend pas, lève le voile vers les sentiers battus de ton enfance, lève le drapeau de ta victoire, cherche le bonheur dans le fond de ta poche, cherche l'erreur dans l'encoignure de ta mémoire ! Un jour sans toi est l'aiguille tordue de ma boussole, un jour avec toi est l'éclosion d'une rose rouge. Rien ne sert de pleurer le joyau d'un passé mais prier pour le souhait d'un miracle.

Toi

Ce soir, je suis assise sur mon fauteuil à bascule. J'écoute le battement de ton cœur, mes yeux transpirent ma nostalgie. Tu es le plumier de mes proses, tu es la larme de ma tristesse, tu es le dôme de mon univers, tu es l'héroïne de mon imaginaire, tu es le synopsis de mon recueil de poésie, tu es la fresque de ma galerie d'art, tu es la gouttelette de ma fièvre, tu es l'oracle de mon destin, tu es la reine de ma cour royale, tu es la fleur de mon vase en étain, tu es le socle de ma droiture, tu es le bouclier de mes luttes, tu es l'automne de mes ballades forestières, tu es l'astre de mes rêvasseries, tu es le porte-parole de ma justice, tu es le marque-page de ma table de chevet, tu es l'étincelle de mon regard, tu es l'écu d'or de mon coffre-fort, tu es le cercle polaire de mes hivers, tu es la parade de mes contes de fées, tu es l'élégance de mon sourire, tu es la couleur rouge de mes baisers, tu es l'horloge de mes nuits solitaires, tu es l'oreiller de mes secrets, tu es le patrimoine de mon testament, tu es l'hirondelle du printemps, tu es l'artiste de mes œuvres, tu es l'acrobate de notre volte-face, tu es mon espoir dans le noir, tu es la bougie de ma table étoilée, tu es l'arôme de mon café, tu es le frisson de mon trouble, tu es la boussole de mes fugues. Tu es le muguet de mon porte-bonheur.

Les nuages pleurent

Les nuages pleurent ton absence qui transpire dans ma poitrine. À chaque pas matinal, je vagabonde avec toi dans le silence du jour. Une larme roule sur ma joue pour dénouer mes nœuds, tu es la constellation de mon leitmotiv. Chaque jour, la lueur de la bougie éclaire ton sourire. Dans le noir, ma solitude hurle cette résonance qui n'est pas tienne. Sans toi, les arbres perdent leurs feuilles, les abeilles ne fabriquent plus de miel, les cerises jaunissent, les oisillons ne sifflent plus le prélude à l'amour. Sans toi, l'été devient l'hiver, le printemps devient l'automne, les fleurs ne s'étirent plus sur les murs de notre maison. Le tonnerre gifle la vie. Il n'y pas de toi sans nous, il n'y a pas de nous sans toi. Il y a peut-être ici ou ailleurs le palais des reines et des rois. L'espoir de te voir renaître s'envole dans l'au-delà du vol de l'ange. Sous mon toit, ta photographie trône sur le pétrin de Marthe. Rien n'est pareil à la colombe qui passe, rien n'est plus mais reste toujours. Tu es l'hommage de ma plume. Sans toi, mes proses se fanent, l'air du temps gèle mes doigts.

Sans toi, la flûte traversière n'a plus de souffle, l'héroïne littéraire se meurt, la cascade de pluie se dessèche, l'air marin n'est plus iodé, le bateau tangue nos souvenirs, le parapluie du bonheur ne s'ouvre plus. Tu es celle qui dessine les courbes telle une danseuse orientale, tu es la bulle de notre champagne, tu es la rockeuse de nos nuits d'ivresse, tu es la parure de nos rêves, tu es notre collier de perles, tu es l'enjoliveuse de nos souvenirs, tu es le peuplier de notre ombre, tu es la symphonie de Mozart, tu es la source de notre jouvence, tu es la rose rouge de notre jardin d'Eden, tu es l'athlète de notre flamme olympique, tu es la robe de nos cocktails. Sans toi, le cheval blanc ne galope plus. Sans toi, le trèfle à quatre feuilles se fane, le goût du sucre devient amer, la lumière devient noire, le vin est bouchonné, le sol s'écrase sur la planète de Jupiter, le baiser mue de sa fraîcheur, nos yeux se rident. Même quand les nuages pleurent, je t'aime en un juste mot, un mot juste.

Au bord de la lune

Je m'y balance telle une acrobate sur la balançoire de la lune, je flottille dans cette apesanteur spatiale, sur la ligne horizontale du ciel, j'aperçois ta silhouette. C'est une découverte scientifique nocturne, mon cœur jongle avec les étoiles, la science cosmique ne peut pas déchiffrer mon émoi, je suis hypnotisée face à ton champ magnétique. Je descends avec agilité la corde qui me relie à l'écorce terrestre. Il dégage une grande émotion face à la magie de notre globe imaginaire. Quand la brise du vent effleure ton visage, je ne peux que me fondre au miroir de nous. Le temps s'arrête, nous observons silencieusement le ciel, subjugués par les astronautes et les constellations. Tu me berces pour adoucir l'angoisse de notre Adieu. Il est celui qui nous hante. Nous jouissons des jours bleus, des nuits rouges, nous sourions des réveils jaunes comme le citron. Nous laissons pleuvoir des particules astrales sous le souffle aérien. Sous le clair de lune, la pluie d'étoiles fait place à un séisme orageux, je vois ton ombre s'éteindre dans cette nature morte. Je pleure et je meurs.

Le roulement de tambour

Le roulement de tambour résonne dans ma bataille, un pas pour aller au front de guerre avec un fusil. Soudain, le temps s'arrête, j'entends la mélodie de ta voix qui murmure ton amour. Lors de mes nuits d'orages, tu es celle à qui je pense, tu es l'encre que je lis, tu es la plume pour qui j'écris, tu es les syllabes de mon alter ego. Nous nous envolons dans une montgolfière vers un lointain ciel bleu. Des souvenirs d'une petite fille qui mange un pot de confiture avec les doigts, celle qui tartine du chocolat sur sa feuille d'école. Le silence est notre roi. Le soleil est notre ombre. Le sable est notre manteau de neige. Les coquillages sont nos notes de musique. Ton sourire est si frais, si vrai, si lyrique. Nous embarquons sur le radeau de notre fortune, nous sommes allongées face à l'immensité de la terre. Nous rions au vent, nous nous tenons la main pour ne pas couler l'une sans l'autre. Dans tes yeux, je peux lire l'abécédaire de notre dialecte. Personne ne peut déverrouiller notre coffre-fort, il est caché au fond de l'océan sous les algues marines de notre mémoire. Nous ramons jusqu'à l'île des sirènes qui se joignent à notre danse aquatique, nous nous endormons sous la pluie des étoiles. Le roulement de tambour résonne en moi, je pars sans fusil. La réalité m'enlève sur son cheval de Troie, cette guerre est sanglante. Soudain, mon cœur ne bat plus.

Le rebord de mon cœur

Dans l'obscurité de mon ombre, tu peux pleurer sur le rebord de mon cœur. Tu peux grimper sur l'échelle de mon âme pour y cueillir les flocons de coton. Prends ma main pour caresser ta joue, mon visage est le tien, tes larmes sont les miennes, ta souffrance est la mienne. Tu es le sommet de mon art, je suis la béquille de ta voix. L'aile d'une colombe se dépose sur l'oreiller de ton paradis. Ne t'enferme pas à huis clos sans me laisser une place. Je peux te promener sur un parterre d'Orchidées, tu peux arracher ma peau pour te couvrir, protège-toi de l'hiver. Tu es le socle de ma sève, je suis la préface de ta voix, je serai la boussole de ton ultime voyage. Tu peux reposer ta fatigue sur la poigne de mon amour, tu peux partir sans te retourner, tu peux lire mon chagrin au travers de mes poèmes. Je suis l'accordéoniste de tes notes de musique, je suis la partition de ton silence. Tu peux graver ta tristesse sur les pierres de ma demeure, je peux guérir ta fièvre avec le tissu de mes baisers, tu peux hurler l'injustice au parloir de ma raison. Tu peux pleurer sur le rebord de mon cœur, tu peux épeler les souvenirs d'antan avec la plume de mon cahier, tu peux pleurer l'absence de tes enfants sous la couverture de ma tendresse. Je suis là, près de toi, dans un bruit sourd, derrière l'ombre fluette de ta belle personne.

L'apesanteur

L'apesanteur de ton ombre erre, tu flottes comme un papillon. Je te contemple avec de grands yeux écarquillés comme une petite fille. Je veux te toucher, tu me files entre les doigts. Le « silence » de ta voix hypnotise, éteint mon regard. Au loin, je ressens ton amour qui m'enlace d'un ruban rouge. Je ne veux pas me réveiller sous un claquement de doigts. Tu me glisses une lettre d'amour dans la poche de ma veste bleu roi. Parfois, j'écoute l'écho d'une trahison qui m'a jeté un sort, je brûle mes maux dans les braises d'un feu de bois. Ton voyage me trouble, je me calfeutre derrière mon saule pleureur, je suffoque à reprendre mon souffle, je transpire les pores de ton fantôme. L'ombre de ta main me repêche d'un élan salutaire. La puissance de ton flegme m'allonge sur le parterre de ma conscience. La finesse de ton élan est cousue sur la collerette de ta robe, la beauté de ta vieillesse se lit sur tes rides. Suis-moi, montons l'escalier du bonheur, à chaque marche, tu peux jeter tes regrets, tu peux écraser tes remords, tu es béni du ciel. Si un jour, tu disparaissais de mes rêves ou de mes souvenirs, tends-moi une corde pour me pendre dans le grenier de mon désespoir.

Portes-tu ?

Portes-tu les corolles de mon cœur autour de ta collerette ? Là où la brise du vent caresse ta peau ? Je ne peux pas tenir la main aussi gracieusement qu'une danseuse étoile, je la laisse glisser sur la mienne. Tu es celle qui fait tanguer ma passion au travers des horizons azurs, viens dans mes bras serrer une dernière fois tes vœux, ne brise pas ton silence sous la couverture de l'au-delà, tu es celle pour qui je lirais les tomes de ton héroïne littéraire, tu es celle pour qui je braverais l'interdit du mensonge, tu es celle pour qui je me prosternerais devant ton nom. Je vois ton sourire peindre mon amour tel des aquarelles, tu es ma sœur bien-aimée, tu es le sang de ma chair, tu es la reine de mes proses, tu es le sigle de mon coffre-fort. Ainsi va la vie où tout se vit ou rien ne se meurt. Laisse-moi écouter le battement de ta poitrine pour en écrire une partition, dansons une dernière fois au rythme du gospel, laisse-moi encore t'aimer le temps d'un souffle, laisse-moi te dire un dernier « Je t'aime ». Hier, nous riions sous le son du clocher de l'église. Aujourd'hui, nous pleurons notre solitude mais demain nous chanterons nos retrouvailles. Ton rire devient muet face à nos souvenirs d'une jeunesse tant vécue !

Les « maux » d'un « je t'aime »

Parfois quand le cœur saigne ; les mots pleurent ton absence. L'hiver sera rude sans ton sourire soleil, Noël perdra ses flocons de neige sans ta bonté, les cadeaux seront noués d'un ruban noir. Quand la nuit hurle de ton silence, mes rêves deviennent des cauchemars. Ton amour est l'écrin d'une perle noire. Tu es celle pour qui je prie même les doigts gelés, tu es celle pour qui je respire sous la pleine lune. Un ciel mystique tourbillonne de ta Sainte âme. Qu'il est bon de te percevoir au travers de mes mots, mes pensées sont aussi légères que les ailes d'une hirondelle, mes souvenirs sont aussi majestueux que ta belle personne. Il n'y a pas de fin sans le début d'une naissance, la tienne fut aussi gracieuse que les pétales d'une Orchidée. La demeure de ta noblesse ne brûlera point, elle s'élève princière. Quand le Rossignol siffle une déclaration d'amour, son pelage est aussi soyeux que ta peau de miel. Le prestige d'un Pétrus est un hommage sur ta table d'honneur, tu es l'épicurienne des beaux jours. Ma douce Colombe qui virevolte autour des étoiles, ton ombre varappe sur le mur de notre maison de craie blanche. Sans toi, mes murs transpirent la solitude, sans toi, les gouttes de pluie deviennent de la grêle, sans toi, je me plonge dans un coma de larmes.

Tu es la muse des beaux-arts « Strumentien ».

Ton ombre derrière la lumière

À chaque pas de mon destin, je porte ta lumière dans mon cœur, je m'élève dans un ciel flottant : l'écharpe de Venus. À l'écoute de l'orchestre du soleil, je pense à toi. Sous la couverture de ma spiritualité, j'écoute renaître une feuille d'automne à une corolle d'été. Tu es le baiser de mon amour dans un jardin de pollen. Le jour, je vois trouble sans ton minois solaire, la nuit, je suis aveuglée par l'absence de tes yeux amandes. Je rêve d'une dernière rencontre à tes côtés. J'attends de danser notre lyrisme autour d'un feu de notre enfance. J'aspire à humer la fragrance de ton dernier parfum. Prends ma main pour cueillir le panier du cerisier, tends l'oreille pour que je puisse réciter la déclaration de ma prose. J'imagine une dernière nuit en trinquant le champagne de ton anniversaire. Tu es celle qui éblouit la parade de mes rêves, tu es celle qui illumine mes souvenirs, tu es la plus belle fleur de mon dôme astral. Je compte les jours de ta noblesse, une larme coule quand je tousse la poussière de tes photographies. La beauté de ma Séverine est celle qui orne mon salon baroque, les doigts de ma Séverine sont ceux qui glissent sur mon piano, le sang de ma Séverine transvase dans mes veines. Je transpire ton héroïsme, tu es une déesse Égyptienne. Le vent du désert souffle « Les quatre saisons » de Vivaldi. Je m'agenouille sur la marche de ta demeure pour honorer ton respect. Chaque matin, tu es celle qui me câline de ta personne si généreuse. Chaque soir, tu es celle qui borde mes draps en coton. Ton ombre derrière la lumière éclaire ma soif de pouvoir encore rêver.

Ton fantôme

Avant de m'endormir, une main tape sur mon épaule, ton fantôme m'invite à une nouvelle histoire, je boude sa présence dans la balance de ma tristesse. Je m'apprête à me lever pour m'abriter dans l'enclos de mon geôlier, au loin, dans le ciel, j'observe les étoiles qui dansent autour de la terre, une larme s'échappe de mon cœur, elle roule sur ma joue froide, nul ne peut consoler ma peine, ni même la musique de Chopin. Je voile mon visage avec la robe de ton fantôme, je boite avec ma canne, je traîne la jambe telle une éclopée, je bois mes maux telle une ivrogne. Je prends la main de ton fantôme pour le supplier de me faire grâce, je le suis pour ne point tomber dans le noir de la nuit. Il m'emmène au fond des bois, il s'assoit contre un tronc d'arbre, je m'adosse contre son dos, je prie le futur, je jauge le présent, pourquoi ne me cède-t-il pas la place de la reine des fleurs ? Ton fantôme apparaît ou disparaît au gré de nos rencontres, il a cette puissance de donner ou de reprendre.

Ton fantôme me porte jusqu'à mon lit, il me couvre avec un édredon. Il s'assoit, il me souhaite de beaux rêves. Il me donne un baiser sur le front, je me sens fébrile, rien ne me console face à ton manque. Le jour devient nuit, la nuit devient jour, je suis aveuglée par le noir de mon alarme. Ton fantôme baise ma main, il me demande pardon, aimer c'est pardonner, je le disculpe. Est-il ton meurtrier ? Il pénètre dans mes souvenirs, il fouine dans le creux de ma mémoire, il ne trouve pas le sourire de mon cœur, il est trempé par l'orage de ma conscience, je somnole sous le sédatif de sa personne, son sourire m'apaise comme celui d'un ange. Ton fantôme me promet une nouvelle nuit dans tes bras, je ressuscite d'un claquement de doigts, je deviens lucide, je te cherche des yeux, une boule de feu dans la gorge. Silence. Il n'y a pas de mouvement, ni de rire, ni l'odeur de ton parfum, pas le moindre signe de ta vie. Il m'étouffe jusqu'à la mort d'une renaissance.

Ton sourire soleil

Il est le porte-bonheur de mes printemps joviaux, il est le croquis de ta nature si généreuse, sans lui, mes jours seraient sombres, il est l'écriture de mon oracle, il fleure le baume de ma peau. Ton sourire, je le glisse dans ma besace pour ne pas qu'il prenne froid, il est le philosophe de ma bonne humeur. Il enjolive la poussée des fleurs de mon jardin, il est l'extase de ton cœur en or, il effleure le mien. Il est la divinité de ta belle personne, il est inestimable tel un bijou de l'Indonésie, il est aussi précieux que la perle noire de l'Océan Pacifique. Il sera le vainqueur d'une course hippique, il est le trèfle à quatre feuilles de mon demi-siècle. Ton sourire soleil est ce grand chef étoilé de ma table festive, il est aussi étincelant qu'une constellation, il est le magicien d'Oz de mes rêves. Il est si vrai, si naturel. Il est celui avec lequel je m'habille chaque matin. Chaque soir, je ferme la porte pour ne pas qu'il s'envole.

Ma dope, ma came, mon overdose

Ma dope, ma came, mon overdose. Quand le manque
me flingue sur les trottoirs d'Etrun, je me
recroqueville. Je cherche le noir de tes pupilles qui me
sauveraient d'une putain d'overdose. C'est grâce à
ton amour que je tiens debout jusqu'au prochain
tiroir-caisse. Ma mémoire m'échappe, tu me sors d'un
coma en alerte rouge, tu as le don de me soigner. Sans
tes yeux, je deviens aveugle, la vie est fadasse sans ta
personne, ma langue fourche tel un serpent. Tu es
l'artiste de mes rédactions. Je somnole dans le
brouillard, tu voles au secours de ma dernière
injection. Sans toi, je deviendrais une toxicomane au
bord d'un drame. Je me laisserais crever par l'agonie
de ton absence. Je peux ressusciter par l'apparition de
ton fantôme. Si tu n'es pas là, je me vide de mon sang,
je frôle la mort. Vois-tu ?
Ma dope, ma came, mon overdose. Je recouds les
plaies de ma déraison avec l'aiguille de ta raison. Tu
stabilises mon pouls artériel, tu étanches ma soif

quand j'ai la gueule ouverte. Tu es celle qui me lit dès mon premier jet d'encre. Tu veilles aux premières minutes de mon sommeil. Quand tu n'es pas là, je reste cloîtrée dans mon mutisme, je suis prisonnière dans ma cellule. Les pores de ma peau ne s'oxygènent plus, mes lèvres sont agrafées, mon squelette tremble de froid. Tu es la guérisseuse de mes maux, tu es le piédestal de mon destin, tu es mon héroïne, tu es mon roc, tu es ma dynamite. Tu es mon coucher de soleil, tu es la compagne de mes voyages, tu es les hiéroglyphes Égyptiens. Ma dope, ma came, mon overdose s'écrivent au passé composé. Tu viens de me sauver d'une overdose.

En ce joli mois d'avril

Nous nous promenons sous un soleil printanier dans le marais de Marœuil, nous traversons la mousse de ses hectares, au bord de l'eau, nous y dressons une nappe blanche. Nous habillons ce linge de deux verres en Cristal, et d'un couteau à fromage en argent. Nous sommes allongées sur l'herbe fraîche. C'est en ce mois d'avril, celui de ton anniversaire, que le latin sera la langue de nos interrogations. Tu pars. Je te supplie de nous attendre avant l'envol de ton âme. Je t'attends jusqu'à la tombée de la nuit, la patience devient impatience, ton absence est la pénitence de ma gourmandise, je dessine le jour de ta naissance sur une pierre, je prie Dieu pour apercevoir ta silhouette, tu n'es plus là. Seule, je franchis le pas de mon audace. En ce mois d'avril, je reçois un brin de muguet, les papillons sauvages virevoltent autour de moi, je bois au goulot la bouteille de mon désarroi. Tu es perdue dans la lumière du jour, je cours jusqu'à notre cabane secrète. Je vois la vie en rose de Piaf, ton sourire monte au ciel, mes larmes coulent. Tu chantes un hymne pour célébrer ton passage de l'autre côté.

Ne pas avoir peur

Lorsque le temps de votre vieillissement toque à la porte de votre jeunesse, ne soyez pas horrifiés. Il ne mourra pas du froid de l'hiver, il ne s'envolera pas avec les feuilles de l'automne, il ne se dessèchera pas avec la canicule de l'été, il ne renaîtra pas avec les bourgeons du printemps. Laissez-le s'asseoir, conversez avec lui de vos souvenirs juvéniles autour de la cheminée. Trinquez un bourgogne d'un premier cru pour célébrer votre chance, vous pouvez toujours boire votre lucidité. Ne lui tournez pas le dos, vos tourments pourraient froisser les plis de vos rides. Ne détournez pas la conversation vers des regrets ; votre optimisme peut encore réaliser vos rêves, votre héroïsme peut encore vous donner des ailes. Le temps aiguille votre boussole au Nord de vos rêves, au Sud de votre flegme, à l'Est de votre cœur, à l'Ouest de votre âme.

Ta souffrance

Tu peux abandonner ta souffrance sur le bord de la route, ne roule pas à vive allure. Prends le temps de la réflexion du pourquoi de ta fugue ? Freine devant l'obstacle du tronc d'arbre, pose-toi la question de sa présence. As-tu toujours la force de lutter face à la nature ? Abandonne l'épave de ta carriole, tu marcheras, tu amasseras les cailloux pour ne pas te perdre. Tu peux pleurer lorsque tu doutes, une larme qui roule est un cœur qui parle. Ne laisse pas ton chagrin former un ruisseau. Vois-tu ? Dans ce marais, tu te ressourceras, tu cueilleras une fleur sauvage, tu écouteras le sifflement des oiseaux, tu médites une sagesse bouddhiste. Tu détiens la clef de ton labyrinthe, tu es celle qui peut chanter ses rêves, respire le pollen de l'Aulne. Tu es le bouclier ton armure. Tu es le do, ré, mi, fa, sol, do de ta flûte traversière. Fais bon voyage dans l'orient express de tes souvenirs, repose-toi dans le wagon de ta vie. Cueille le trèfle à quatre feuilles sur le chemin de ta promenade, niche-le au fond de ta poche, épie la pie voleuse. La patience se tisse telle une toile d'araignée. Brise la prétention d'un coup de marteau, elle est l'adversaire de ton humilité, ne clame pas ta victoire sur la place publique, elle se tait avec la pudeur de tes ambitions. Chante sous le parapluie ton âme, danse sous le clair de lune de ta joie, aime qui tu dois aimer, ignore celui que tu détestes, embrasse celui ou celle qui t'aime, l'amour est un cadeau, le passé ne se conjugue pas, le présent devient un futur. Ta vie et tes choix t'appartiennent, nul ne peut voler ta conscience. Le courant marin peut menacer à un naufrage, les nuages gris peuvent annoncer un orage, on peut guetter un ouragan, le ciel n'est pas toujours le paradis.

Ce soir

Ce soir, tu m'offres la clef de ton cœur, j'y pénètre
pas à pas, je cache ce trésor dans le cabanon de mon
jardin, j'arrose les boutons de rose avec la pluie de
mes larmes. Ces gouttelettes sont le porte-parole de
mon adoration, je médite le temple de ta sagesse. Ma
mémoire est riche de nos lettres d'or, je suis
subjuguée par ta majestueuse plume. À cette minute,
j'allume la bougie de mon enclos, je symbolise ta
présence, même si je sais que là où tu es, ce sera là où
j'irai. Il n'y a pas un jour, sans que je ne coche sur le
calendrier de notre espérance. Tu es celle pour qui je
me dévêtis du manteau de ma pudeur. Tu as cette
force de l'au-delà, tu me fais encore rêver sous la
neige, sous l'orage, sous la canicule, sous une
tempête. Tu m'emmènes danser sous l'arc-en-ciel, tu
me fais tanguer sous les étoiles ! Je bataille ton
absence, tu ressurgis de nulle part avec ton sourire
charmeur, je me fonds dans ton âme, je pardonne à
demi la vie. Je peux patienter ta venue toute une

veillée. Je cueille ce trèfle à quatre feuilles sur le chemin de ma fugue, je m'adosse contre le tronc du saule pleureur, je suis seule en écoutant le chant des oiseaux. Je m'assois, j'observe cette forêt. La nature est si merveilleuse quand on oublie. Je n'ai pas le talent pour écrire une partition d'opéra. Je peux déclarer la flamme de ta belle personne. Je peux chanter à cœur ouvert : MERCI de m'aimer.

Je t'aime

Je t'invite dans mon cercle solaire, tu ne prendras pas froid sous la pluie de mes cajoleries. Je volerai au-dessus de ton astre, j'entendrai la musique de ta harpe communier avec les anges. Tu seras ivre de bonheur. Je ne peux que fleurir avec les jours de tes bourgeons, tu es l'onirisme de mes proses, tu es le clocher de mes réveils. Viens ? Nous allons chanter nos ritournelles au bord de l'eau, trinquer un verre à notre amour sans esclandre. Je te réciterai les plus beaux vers de Victor Hugo et les alexandrins de Méléagre. Hélas ! Aimer c'est aussi pleurer ou mourir. Dans une vie, il n'y a pas de sens unique. Nous écouterons la musique de nos ancêtres pour voguer sur la pirogue des Comores. Bon Sang, Séverine ! Écris ta plume sur cette feuille blanche ! Dicte-moi les frontières de ton cœur. Je t'aime !

La lune

La lune berce tes syllabes, le vent souffle tes voyelles, le soleil caresse ton essence. C'est l'amour de toute une vie qui glisse sur le ruisseau de tes souvenirs, le pollen s'évapore sur la chevelure de ta jeunesse, le saule pleureur embrasse tes secrets, l'étoile de mer ouvre ses bras pour une dernière danse, ta grâce époustoufle le monde qui t'entoure. La lumière du jour éclaire les mots de ta plume, l'ombre de ton jardin marque le croquis de ton corps, la pluie fine gifle ton visage si magnifique. Une coccinelle se promène sur la main de ta générosité, elle s'envole pour rejoindre les anges. C'est le paradis des ailes blanches qui épèle tes initiales, la dentelle de Calais brode l'élégance de ton cœur, le trèfle à quatre feuilles tire au sort ton destin. À la belle étoile, tu contemples tes pierres précieuses, la couverture d'un tapis de diamants protège tes cygnons rêveurs.

Le bisou

Il boude sa place, quand il est jaloux
Sous son air farceur, il n'est point fou !
Il se dépose sur la joue
Il se glisse dans le cou
Il est taquin sans tabou
Mais que ferions-nous
Sans le bisou blond, brun ou roux ?
Ah ! Le bisou est tellement filou
Qu'il en devient notre chouchou !
Il nous endort tel un doudou
Coucou coucou
Le Bisou
Rien ne sert de filer comme un voyou !
Ne pirouette pas comme un foufou
Tu n'es pas un joujou
Il est unique le bisou
On le porte comme un bijou
Sans le moindre sou !

Pour Zélie

Maman

Tu es la reine de mon cœur, tu es la fée de mes rêves, tu es la perle noire de mon collier en argent, tu es la sirène de mes baignades océaniennes, tu es la statue de la sagesse Pallas Athéna, tu es le miroir de mon regard, tu es le synonyme du sublime, tu es la cantatrice de mon art lyrique, tu es la rose rouge de mon vase, tu es le pluriel de mes baisers, tu es le soleil de mes nuits, tu es la lune de mes jours.

Tu es la feuille de mon journal intime, tu es l'encre de ma plume, tu es la légende de mes contes, tu es la lumière de mon abat-jour, tu es les lignes de ma main, tu es le bouton d'or de ma couture, tu es la caresse de ma joue, tu es l'arc-en-ciel de mon horizon, tu es le cygne du lac de mes promenades, tu es le royaume des anges, tu es ma guerrière des temps modernes. Tu es le sirop de mon cocktail « Panthère Rose », tu es l'équation de mes énigmes, tu es la majesté de mon dôme, tu es le marque-page de mes romans, tu es la siamoise de mon allégresse, tu es la magicienne de mes heures nocturnes, tu es la lionne de ma savane, tu es la marquise des fleurs, tu es le jardin de ma coquetterie, tu es mon double-je, tu es tout simplement ma merveilleuse maman.

Parce que je sais que Séverine aurait écrit ces mots pour notre maman.

Un soir

Tu erres dans la vie. Tu as soif d'une réflexion sur ta personne. Tu réfléchis sur le mystère de ton destin. Tu t'assois sur un banc tandis qu'un homme te regarde, il te lance un large sourire. Tu as déjà vu cette personne mais tu ne sais pas où. Elle te connaît. Et puis un mot : social. Ta mémoire retentit. Tu n'as jamais pris le temps de l'écouter à l'association des « Âmes perdues » où tu es bénévole. C'est une association des sans-abris. La misère sociale. Tandis que la ville s'endort, Willy me montre son contrat de travail. Il est embauché comme serveur dans un bel hôtel face à la mer. Il est si heureux et si fier qu'il te montre des photos de sa nouvelle vie. Tu écoutes attentivement sa narration. Tu retiens son parcours chaotique sans aucun jugement. Tout quitter pour tout reconstruire. C'est ce que je retiens d'une parenthèse de sa vie. Tu l'encourages dans sa quête du meilleur. Il commence à faire nuit. Tu oublies le froid. Ton téléphone sonne, tu ne décroches pas.

Je reprends la route pour rentrer chez moi. Je rencontre une auto-stoppeuse. Maigre et souriante. Tu devines par sa dentition noirâtre qu'elle doit vivre l'enfer. À peine assise dans la voiture, elle me montre ses bras dans un état déplorable. Des bras abîmés par les aiguilles. Elle veut payer la course. Elle raconte qu'elle vient de finir son travail. Elle est prostituée.

J'arrive à la maison. Mille questions fusent. Tu dis simplement « Laissez-moi vivre ». Tu t'assois, tu reprends tes esprits, et tu sais qu'au jour le jour tu as une bonne santé. J'ai ma famille, j'ai mes amis, j'ai les copains. J'ai cette chance d'être maman, j'ai un toit et une gamelle chaque soir. Je voyage, j'ai une voiture et je vis mes passions. Je ris. Je peux rêver. Je remercie ma chance de pouvoir encore m'émouvoir sans l'ombre d'un doute.

Table des matières

Imprimé en Allemagne
Achevé d'imprimer en septembre 2022
Dépôt légal : septembre 2022

Pour

Le Lys Bleu Éditions
40, rue du Louvre
75001 Paris